图书在版编目(CIP)数据

苏斯博士的 ABC/(美)苏斯著;苗卉译–北京:中国对外翻译出版公司,2007.1
(苏斯博士双语经典)书名原文:Dr. Seuss's ABC
ISBN 978-7-5001-1708-7
I.苏… II. ①苏…②苗… III. ①英语–汉语–对照读物②童话–美国–现代 IV. H319.4:I
中国版本图书馆 CIP 数据核字(2006)第 142732 号

出版发行/中国对外翻译出版公司
地　　址/北京市西城区车公庄大街甲 4 号物华大厦六层
电　　话/(010)68359376　68359303　68359101　68357937
邮　　编/100044
传　　真/(010)68357870
电子邮箱/ctpc@public.bta.net.cn
网　　址/http://www.ctpc.com.cn

策划编辑/李育超　薛振冰　王晓颖
责任编辑/薛振冰　李育超
特约编辑/王甘
责任校树/韩建荣　卓玛
英文朗读/Rayna Martinez Aaron Wickberg & Camila Tamayo
封面设计/大象设计

排　　版/翰文阳光
印　　刷/北京威灵彩色印刷有限公司
经　　销/新华书店

规　　格/787×1092 毫米　1/16
印　　张/4.5
字　　数/15 千字
版　　次/2007 年 4 月第一版
印　　次/2009 年 4 月第四次
印　　数/20 001-23 000

ISBN 978-7-5001-1708-7　定价:19.80 元

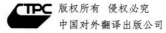

音频下载:登录 http://www.ctpc.com.cn 点击"苏斯博士双语经典"。

　　本书采用了隐形码点读技术,页码所在的椭圆部分置入了隐形码,可配合爱国者点读笔产品点读发音。

DR. SEUSS'S
苏斯博士的
ABC

[美] Dr. Seuss　图文

苗卉　译

中国出版集团
中国对外翻译出版公司

★二十世纪最卓越的儿童文学作家之一
★一生创作48种精彩绘本
★作品被翻译成20多种文字和盲文
★全球销量逾2.5亿册
★曾获得美国图画书最高荣誉凯迪克
　大奖和普利策特殊贡献奖
★两次获奥斯卡金像奖和艾美奖
★美国教育部指定的重要阅读辅导读物

I like nonsense, it wakes up the brain cells. Fantasy is a necessary ingredient in living. It's a way of looking at life through the wrong end of a telescope. Which is what I do...and that enables you to laugh at life's realities.

我喜欢胡言乱语，这能激活脑细胞。奇思妙想在生活中是必不可少的，就像是用颠倒了的望远镜审视生活。我就是这样做的……从而使你能够面对生活的现实哈哈大笑。

——苏斯博士

苏斯是谁?

苏斯博士（1904—1991），本名西奥多·苏斯·盖泽尔（Theodor Seuss Geisel），是美国人最引以为傲的儿童文学作家之一。在白宫发布的美国文化"梦之队"中，他的名字与《夏洛的网》的作者 E.B.怀特以及《草原小屋》的作者怀尔德并列。同时，苏斯博士还是一位高妙的画家，他亲自为自己的书绘制漂亮的插图。

那些由他自己撰文并绘制插图的作品都以"苏斯博士"（Dr. Seuss）来署名，比如《穿袜子的狐狸》、《绿鸡蛋和火腿》、《霍顿孵蛋》、《乌龟耶尔特及其他故事》等。而由他本人撰文、别人插图的作品则用 Theo LeSieg（LeSieg 是 Geisel 的倒写）和罗塞塔·斯通（Rosetta Stone）来署名，例如《头顶十个苹果》（Ten Apples up on Top）和《小虫打喷嚏》（When the Little Bug Went Ka-Choo）。

其实，苏斯博士并没有真正获得过博士学位。1925 年自达特茅斯大学毕业后，他又去牛津大学攻读文学博士学位，但因为受不了沉闷枯燥的学校生活而中途辍学。他开始进行儿童文学创作时需要一个笔名，就饶有风趣地用上了"苏斯博士"。他说："我父亲一直希望看到我的名字前能冠上'博士'，我就自己加上去了。这样做我想至少省了他上万块钱。"

BIG A

大写的A

little   a

小写的a

What begins with A?

什么单词以字母A开头？

Aunt Annie's alligator . . .

安妮阿姨的鳄鱼

.....A...a..A

BIG B 大写的B

little   b 小写的b

What begins with B?

什么单词以字母B开头?

Barber
baby
bubbles
and a
bumblebee.

理发师
婴儿
气泡
还有一只
大黄蜂。

BIG C

大写的C

little   c

小写的c

What begins with C?
Camel on the ceiling
C . . . . c C

什么单词以字母C开头？
骆驼在天花板上

BIG D

大写的D

little d

小写的d

David Donald Doo
dreamed
a dozen doughnuts
and
a duck-dog, too.

戴维·唐纳德·杜梦到一打炸面圈，还有一只鸭子模样的狗。

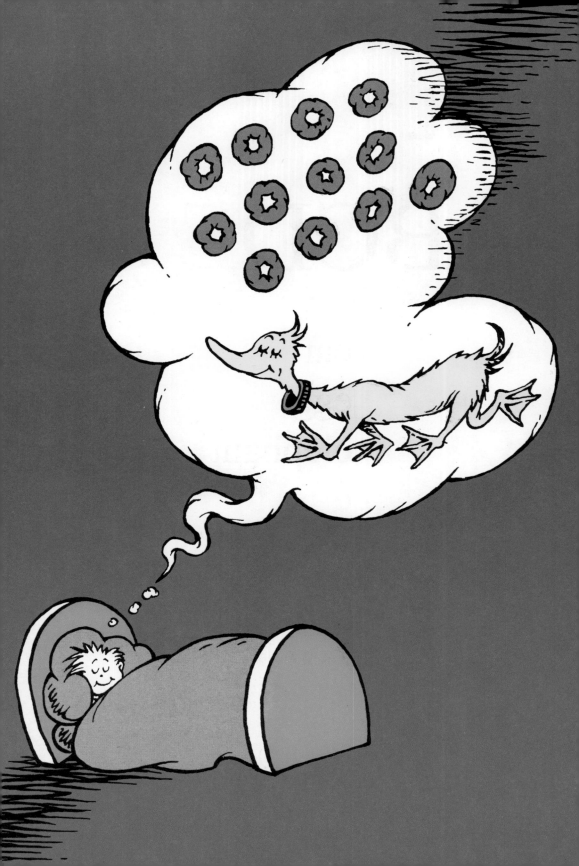

ABCDE..e..e

ear

egg

elephant

e

e

E

耳朵 鸡蛋 大象

BIG F

little f

大写的F

小写的f

F .. f .. F

Four fluffy feathers on a Fiffer-feffer-feff.

菲菲头上有四根蓬松的羽毛。

ABCD
EFG

Goat
girl
googoo goggles
G . . . g . . . G

山羊

女孩

护目镜

BIG H

little h

Hungry horse.
Hay.

大写的H

小写的h

饥饿的马
干草

Hen in a hat.
Hooray!
Hooray!

帽子里的母鸡。

好哇!

好哇!

BIG I

大写的I

little i

小写的i

i . . . . i i

Icabod
is
itchy.

伊卡博德浑身痒痒。

So am I.

我也是。

BIG J

大写的J

little j

小写的j

What begins with j?

Jerry Jordan's
jelly jar
and jam
begin that way.

什么单词以字母j开头？
杰里·乔丹的果酱罐和果酱。

BIG K

大写的K

little k

小写的k

Kitten. Kangaroo.

小猫 袋鼠

Kick a kettle.
Kite
and a
king's kerchoo.

踢飞水壶

风筝

还有
国王的喷嚏。

BIG L

大写的L

little   l

小写的l

Little Lola Lopp.
Left leg.
Lazy lion
licks a lollipop.

小洛拉·洛普
左腿
懒惰的狮子在舔棒棒糖。

BIG M

大写的M

little   m

小写的m

**Many mumbling mice
are making
midnight music
in the moonlight . . .
mighty nice**

许多喃喃自语的老鼠在月光下演奏小夜曲……
非常令人陶醉

BIG N

little n

What begins with those?

Nine new neckties
and a nightshirt
and a nose.

什么单词以字母n开头?
九条新领带、一件睡衣,还有一个鼻子。

O is very useful.
You use it when you say:
"Oscar's only ostrich
oiled
an orange owl today."

字母O很有用。
当你说
"奥斯卡唯一的鸵鸟今天给一只橙色的猫头鹰刷油漆"的时候，
你会用到它。

ABCD

EFG

HIJK

LMNO.

... P

Painting pink pajamas.
Policeman in a pail.

把睡衣刷成粉色。
一个警察在桶里。

Peter Pepper's puppy.
And now
Papa's in the pail.

彼得·佩珀的小狗。
现在,爸爸呆在桶里。

BIG Q

little q

What begins with Q?

The quick
Queen of Quincy
and her
quacking quacker-oo.

什么单词以字母Q开头?
急匆匆的昆西女王和她那嘎嘎叫的鸭子。

QUACK
QUACK

BIG R
little r

大写的R

小写的r

Rosy Robin Ross.

罗西·罗宾·罗斯

Rosy's going riding
on her
red rhinoceros.

罗西要骑上她的红犀牛。

BIG S

大写的S

little s

小写的s

Silly Sammy Slick
sipped six sodas
and got
sick sick sick.

呆头呆脑的萨米·斯利克喝掉六杯苏打水,结果生病了。

T . . . . T

t . . . . . . t

What begins with T?

Ten tired turtles
on a tuttle-tuttle tree.

什么单词以字母T开头？
十只筋疲力尽的乌龟趴在一棵龟龟树上。

BIG U

大写的U

little   u

小写的u

What begins with U?

Uncle Ubb's umbrella and his underwear, too.

什么单词以字母U开头？
阿布叔叔的雨伞和他的内衣裤。

BIG V

little   v

小写的v

Vera Violet Vinn
is
very
very
very awful
on her violin.

薇拉·维莱特·薇妮
小提琴拉得非常非常非常糟糕。

W . . w . . W

Willy Waterloo
washes Warren Wiggins
who is
washing Waldo Woo.

威利·沃特卢给沃伦·威金斯洗澡的同时，沃伦·威金斯又在给沃尔多·沃洗澡。

X is very useful. if your name is Nixie Knox. It also comes in handy spelling ax and extra fox.

如果你的名字是尼克斯·诺克斯，
字母X非常有用，
它也会在拼写斧子和一只了不起的狐狸时出现。

NIXIE KNOX

BIG　　Y

大写的Y

little　　　　y

小写的y

A yawning yellow yak.
Young Yolanda Yorgenson
is yelling on his back.

一只打呵欠的黄牦牛。小月月在牦牛背上吆喝。

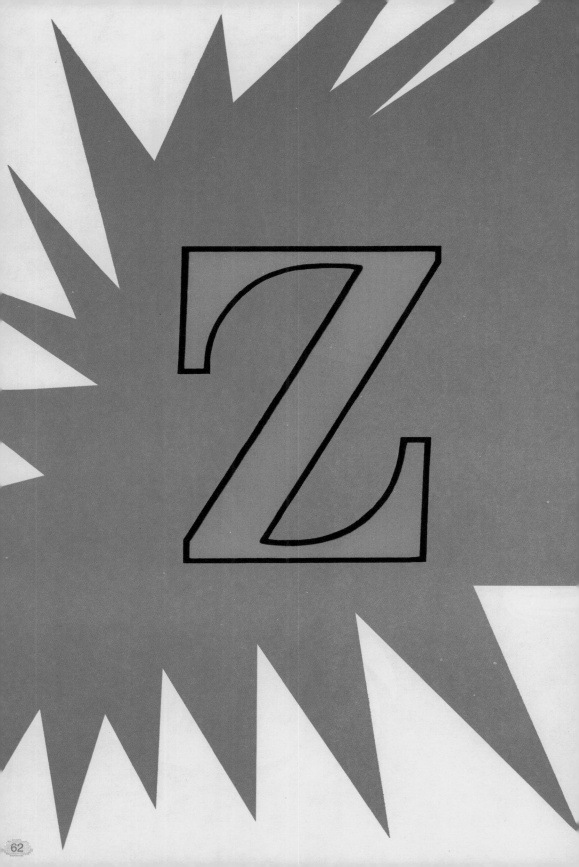

BIG Z

大写的Z

little   z

小写的z

What begins with Z?

什么单词以字母Z开头？

I do.
I am a
Zizzer-Zazzer-Zuzz
as you can
plainly see.

我就是！
就像你看到的那样，
我是一只花枝招展的瞌睡虫。

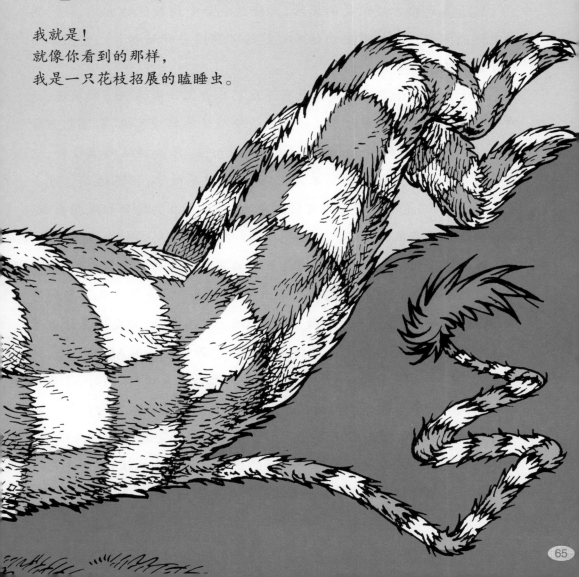

阅读提示

　　苏斯博士，可以说是二十世纪最受欢迎的儿童图画书作家，在英语世界里，是家喻户晓的人物。他创作的图画书，人物形象鲜明，个性突出，情节夸张荒诞，语言妙趣横生，是半个多世纪以来孩子们的至爱，同时他的书也被教育工作者推荐给家长，作为提高阅读能力的重要读物。

　　孩子喜欢的古怪精灵的读物，为什么也会受到教师的青睐，被列为学生提高阅读能力的重要读物呢？这与苏斯博士开始创作儿童图画书的背景有关。

　　二十世纪五十年代，美国教育界反思儿童阅读能力低下的状况，认为一个重要原因就是当时广泛使用的进阶型读物枯燥无味，引不起孩子的兴趣。苏斯博士的Beginner Books便应运而生。作为初级阅读资料，这些书力求使用尽可能少的简单词汇，讲述完整的故事。但远远高于过去进阶型读物的，是苏斯博士丰富的想象力、引人入胜的情节和风趣幽默、充满创造力的绘画和语言。

　　苏斯博士的图画书在讲述有趣故事的同时，更有一个特别的功能，即通过这些故事来使孩子们从兴趣出发轻松地学习英语。从简单的字母，到短语、句子，再到一个个故事，苏斯博士的图画书，亦是一套让孩子们循序渐进掌握英语的优秀读物。例如其中《苏斯博士的ABC》一书，就从英文的二十六个字母入手，将字母和单词配合起来讲解，同时，这些单词又组成了一个个韵味十足的句子，不断重复加深读者对字母的记忆和理解。《一条鱼 两条鱼 红色的鱼 蓝色的鱼》和《在爸爸身上蹦来跳去》也是采取类似的方式进行单词和句子的讲解。《穿袜子的狐狸》则是充满了饶有风趣的绕口令，对诵读者来说是一个充满快乐的挑战。

《绿鸡蛋和火腿》的创作源于苏斯博士和一位朋友打赌,能否用五十个单词写成一个故事。苏斯赢了,于是便有了这本脍炙人口的书。故事是容易引起孩子共鸣的熟悉话题——要不要尝试新食物。故事情节发展激烈,一个拼命劝,一个玩命躲,最后的结局出人意料。苏斯博士的语言是节奏感很强的韵文,朗朗上口,书中所用词汇很少,而且句子结构大量重复,只置换少量单词,孩子一旦记住了第一句,后边的句子很容易读出来,让孩子颇有成就感。

　　苏斯博士的几本书在几年前曾翻译引入我国,固然读者可以有机会一睹这上世纪儿童文学精品的风采,但语言上的特色在翻译过程中难免有所损失。此次中国对外翻译出版公司采取中英文对照的形式出版苏斯博士的十本书,不仅能让我们能够原汁原味地领略苏斯博士的故事,也是众多小英语学习爱好者的福音。通过韵文学习语言,能增强对语音的辨析能力。更重要的是,苏斯博士令人耳目一新的图画书,能大大增加孩子们学习英语的兴趣,而兴趣是孩子学习的最重要基础。

　　苏斯博士的书,非常适合大人和孩子一起朗读。

小橡树幼教:王甘博士